当代书法名家◎中国书法家协会草书专业委员会专辑

李木教

海风出版社
HAIFENG PUBLISHING HOUSE

图书在版编目（CIP）数据
李木教专辑/李木教书.—福州:海风出版社，2008.11
（当代书法名家.中国书法家协会草书专业委员会专辑；11/胡国贤，李木教主编）
ISBN 978-7-80597-829-1

I.李… II.李… III.草书—书法—作品集—中国—现代 IV.J292.28

中国版本图书馆CIP数据核字（2008）第177068号

当　代　书　法　名　家
中国书法家协会草书专业委员会专辑
李木教 专辑

策　　划：焦红辉
主　　编：胡国贤　李木教
责任编辑：叶家佺　刘　伟　吴德才
装帧设计：刘　伟
责任印制：傅　强

出版发行：海风出版社
(福州市鼓东路187号　邮编:350001)
出 版 人：焦红辉
印　　刷：福州青盟印刷有限公司
开　　本：889×1194毫米　1/16
印　　张：4印张
版　　次：2008年11月 第1版
印　　次：2009年3月 第1次印刷
书　　号：ISBN 978-7-80597-829-1/J·177
定　　价：798.00元 (全套21册)

李木教 1966年出生于福建诏安。现为中国书协草书专业委员会委员、福建省书法家协会副主席、福建省政协委员、省青联常委、福州画院专职画师。担任首届全国青年书法篆刻作品展、全国首届草书作品展、全国第二届草书作品展、第九届全国书法篆刻作品展、第六届中国书坛新人作品展等重要展览评委。

书法作品多次入选历届全国书法篆刻展览、全国中青年书法篆刻家作品展览及国际交流展览，并获第五、六届全国中青年书法篆刻家作品展览一等奖，第一届全国楹联书法大展金奖等并被中国美术报、中南海等文博单位收藏。

序

两个多月前，经李木教委员搭桥，由海风出版社出版《当代书法名家》丛书，第一辑为中国书法家协会草书专业委员会专辑，每个委员一卷，既能反映每位书家个人的艺术风采，又能体现草书委员会的整体实力、整体风貌，还能彰显当代草书创作的一些境况和情势，一举多得，令人兴奋。

草书专业委员会成立于2006年，是中国书法家协会下设的几个专业委员会之一，职责是专事草书方面的研究、创作等。共有委员二十一人（原二十二人，副主任周永健先生今年五月因病故去）。年龄最大者六十几岁，最小者三十几岁，都是活跃在当今书坛的实力派书家。

这二十位书家，每个人都在草书上卓有建树，功力既深，格调亦高，个性风格鲜明而强烈。他们都以传统为师，在传统中孜孜以求，精益求精。并在此基础上，广涉博取，锐意开拓，大胆突破，开辟新境界。因而他们的作品无论气象还是内涵上，都很耐人寻味，颇富艺术感染力。

海风出版社将这么多书家和他们的作品结集出版，诚是一着高棋，定会令人一饱眼福，并从中获得一些有益的启示。

本人作为草书委员会的一员，能和诸书友一道共同参与这个盛事，深感荣幸。借本书出版之际，谨向海风出版社表示诚挚的谢意。希望本书能受到欢迎。也诚望能得到批评指正，以期有更大的长进，不辜负书友和同道们的厚望。

聂成文

二〇〇八年八月八日

目录

作品

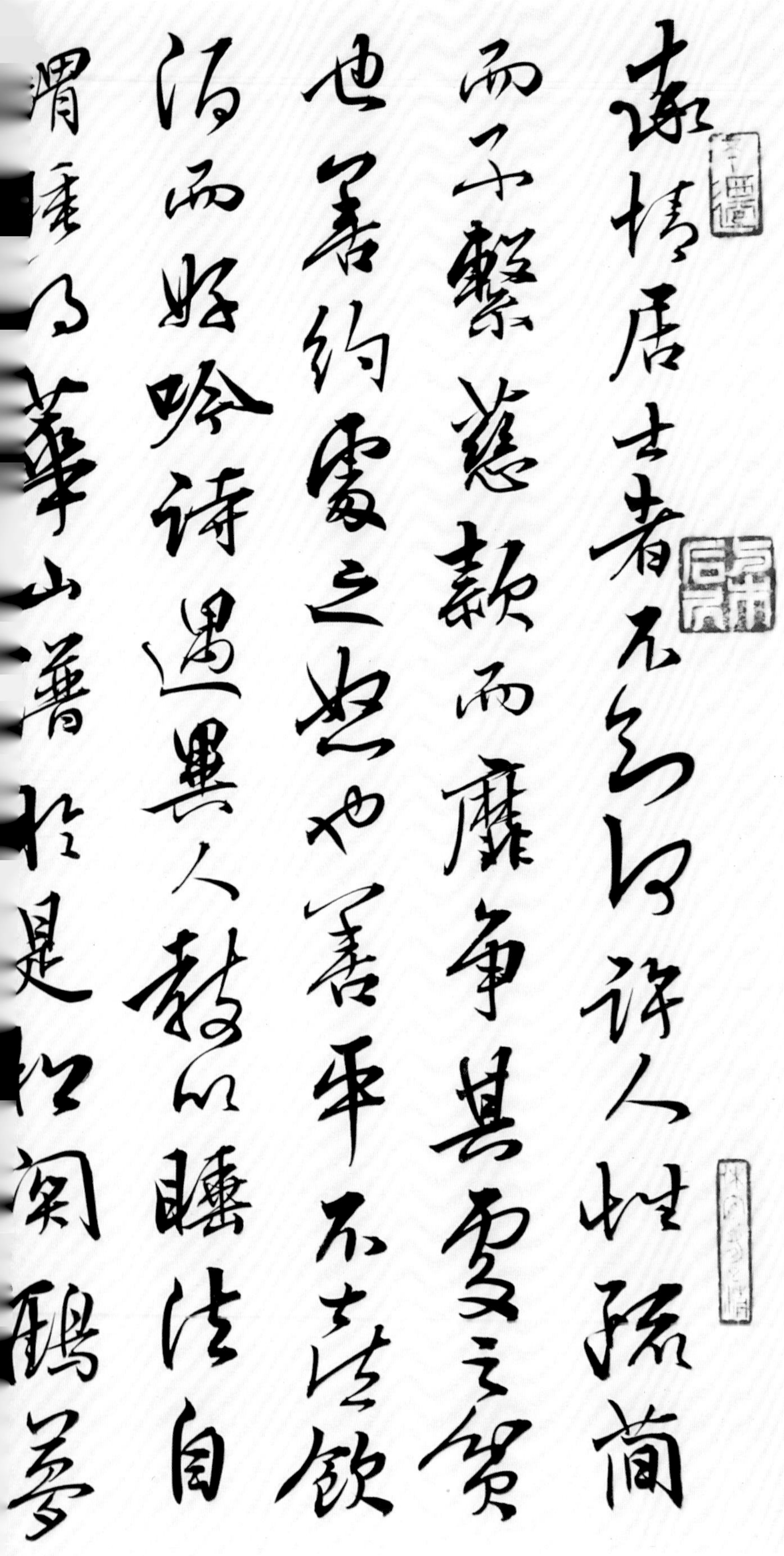

率情居士者，不知何许人，性疏简而不系，慈款而靡争，其处之贫也善约，处之怒也善平。不喜饮酒而好吟诗。遇异人，教以睡法，自谓睡得华山谱。于是松关鹤梦理解者常多，居尝慕陶、葛风流。于艺无不通，其工与拙半。人以为散野似晋，规谨似宋，其自得似玄，而其所自了复似禅。终不强有所是非于世，世亦不能定其品。尝作率情诗百韵以自寄意，故号曰率情居士。就其所至，庶谓知其行止乎？故亦曰：『止静生』。

巨皆之去居士慕陶營屋
流於藝甚不通其工與拙人以為
散野以晉魏以來自得以玄
而于所自了復以禪縛不強有所覺
非於世之不能定其路嘗作大都
情詩百韻以自寫意故號曰寧情
居士既于所至歷經於于門以中
故無田以靜生

龔安節南陔居士傳
林散

城与清江曲，泉流乱石间。
夕阳初隐地，暮霭已依山。
度鸟欲何向，奔云亦自闲。
登临兴不尽，稚子故须还。

好风生水面，荒径折溪湾。
野鸟碧空下，高槐夕照闲。
遣僮趁墟落，买酒到山间。
醉卧一庭月，柴门夜不关。

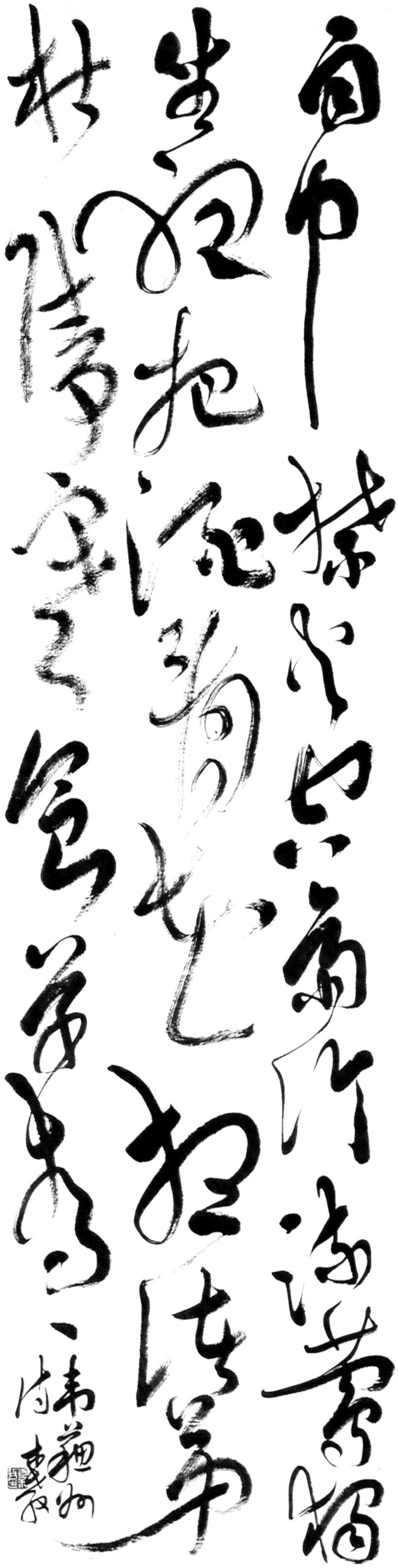

雨中禁火空斋冷，流莺独坐听。把酒看花想诸弟，杜陵寒食草青青。

高松漏疏月，落影如画地。
徘徊爱其下，夜久不能寐。
怯风池荷卷，病雨山果坠。
谁伴予苦吟，满林啼络纬。

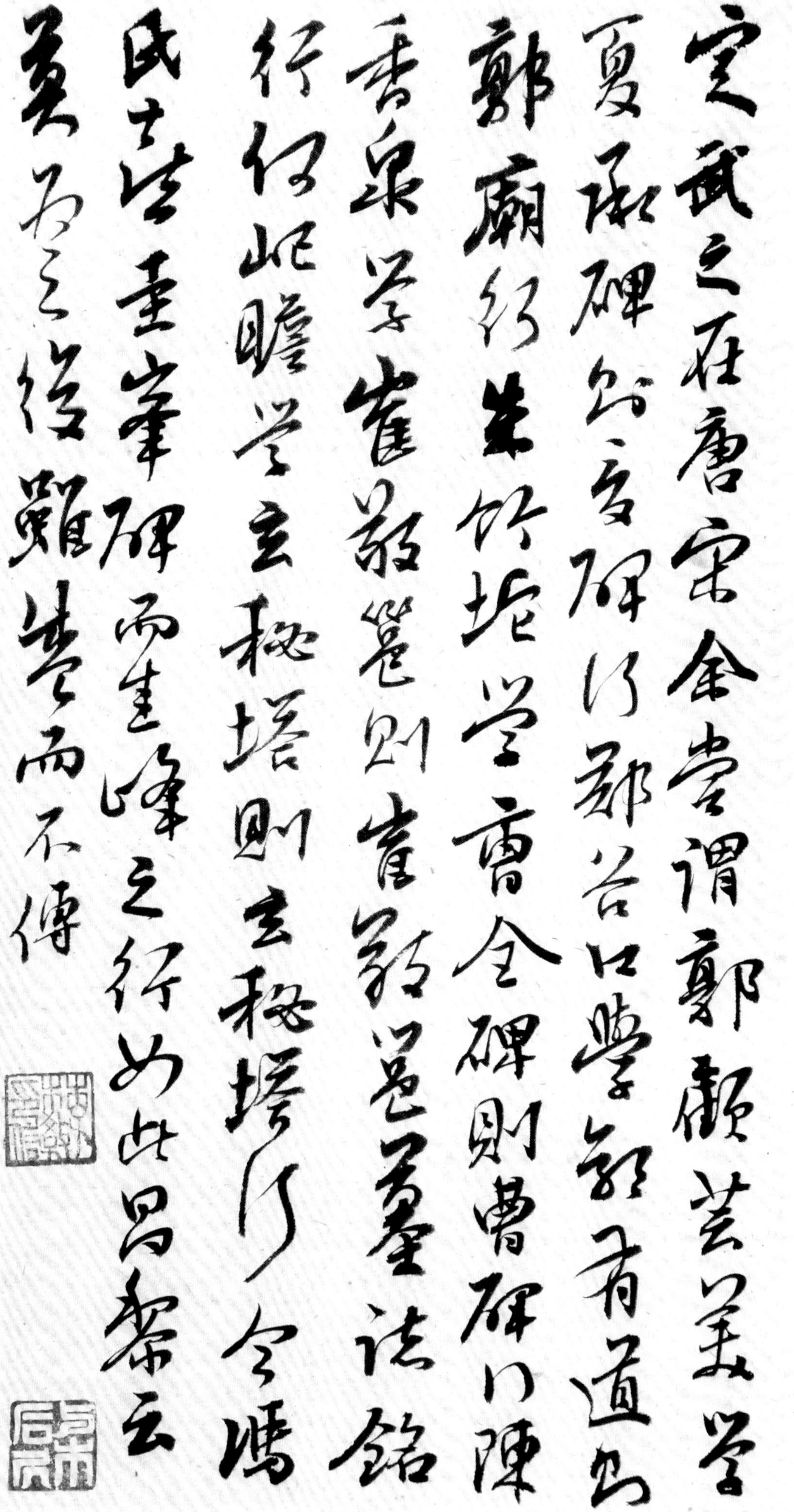

定武之在唐（宋），余尝谓（郭）顾芸美学夏承碑则夏碑行；郑谷口学郭有道则郭庙行；朱竹垞学曹全碑则曹碑行；陈香泉学崔敬邕则崔敬邕墓志铭行；何屺瞻学玄秘塔则玄秘塔行；今冯氏洗圭峰碑而圭峰之行如此。昌黎云：莫为之后，虽盛而不传。

支道林許謝盛德共集王家謝顧謂諸
人今日可謂彥會時既不可留此集固亦難
常當共言詠以寫其懷許便問主人有
莊子不正得漁父一篇謝看題便各使四坐
通支道林先通作七百許語敘致精麗才
藻奇拔眾咸稱善於是四坐各言懷畢
謝問曰卿等盡不皆曰今日之言少不自竭
謝後粗難因自敘其意作萬餘語才峰
秀逸既自難干加意氣擬託蕭然自得
四坐莫不厭心支謂謝曰君一往奔詣故
復自佳耳
殷中軍孫安國王謝能言諸賢悉在會
稽王許殷與孫共論易象妙於見形孫
語道合意氣干雲一坐咸不安孫理而辭
不能屈會稽王慨然歎曰使真長來故應
有以制彼既迎真長孫意己不如真長
既至先令孫自敘本理孫粗說己語亦覺
殊不及向劉便作二百許語辭難簡切孫
理遂屈一坐同時拊掌而笑稱美良久
僧意在瓦官寺中王苟子來與共語便
使其唱理意謂王曰聖人有情不王曰無

支道林、许、谢盛德，共集王家，谢顾（谓）诸人（曰）：“今日可谓彦会，时既不可留，此集固亦难常，当
言咏，以写其怀。”许便问主人：”有庄子不？”正得渔父一篇。谢看题，便各使四坐通。支道林先通，作七
许语，叙致精丽，才藻奇拔，众咸称善。于是四坐各言怀毕。谢问曰：“卿等尽不？”皆曰：“今日之言，少
自竭。”谢后粗难，因自（敛）叙其意，作万余语，才峰秀逸，既自难干，加意气凝托，萧然自得，四坐莫不
心。支谓谢曰：“君一往奔诣，故复自佳耳。”

殷中军、孙安国、王、谢能言诸贤，悉在会稽王许，殷与孙共论易象妙于见形，孙语道合，意气干云，一坐咸
安孙理，而辞不能屈。会稽（王）慨然叹曰：“使真长来，（故）应有以制彼。”即迎真长，孙意己不如。真
既至，先令孙自叙本理，孙粗说（己语）而已，亦觉（殊）绝不及向。刘便作二百许语，辞难简切，孙理遂屈。
一坐同时抚掌而笑，称美良久。

僧意在瓦（宫）官寺中，王苟子来，与共语，便使其唱理。意谓王曰：“圣人有情不？”王曰：“无。”重
曰：“圣人如柱邪？”王曰：“如筹算，虽无情，运之者有情。”僧意云：“谁运圣人邪？”苟子不得答而去。

魏朝封晋文王为公，备礼九锡，文王固让不受。公卿将校当诣府敦喻。司空郑冲驰遣信就阮籍求文。籍时在袁
尼家，宿醉扶起，书札为之，无所点定，乃写付使。时人以为神笔。

左太冲作三都赋初成，时人互有讥訾，思意不惬。后示张公，张曰：“此二京可三。然君文未重于世，宜以经高
名之士。”思乃询求于皇甫谧，谧见之嗟叹，遂为作叙。于是先相非贰者，莫不敛衽赞述焉。

诸葛宏年少不肯学问，始与王夷甫谈，便已超诣。王叹曰：“卿天才卓出，若复小加研寻，一无所愧。”宏后看
庄、老，更与王语，便足相抗衡。

谢安年少时，请阮光禄道白马论，为论以示谢。于时谢不即解阮语，重相咨尽。阮乃叹曰：“非但能言人不可
得，正索解人亦不可得！”

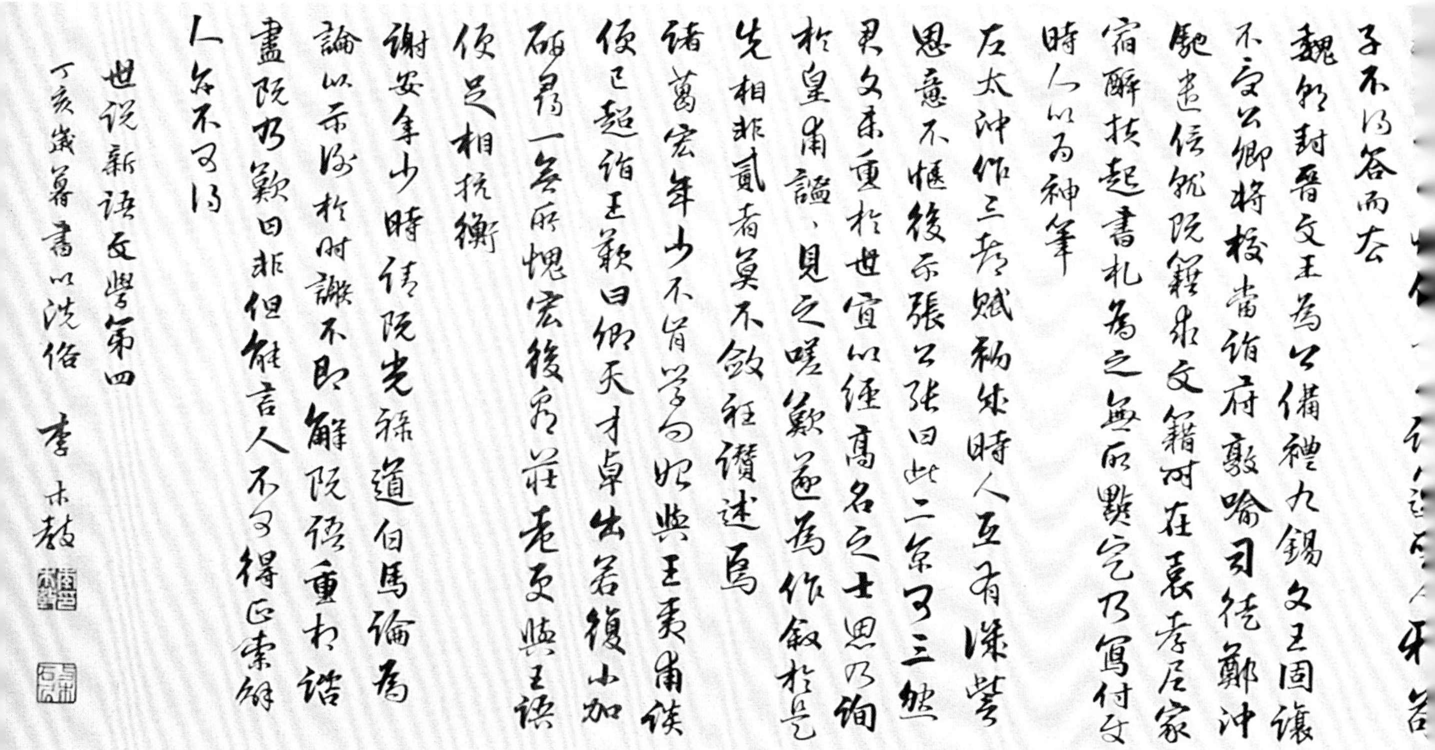

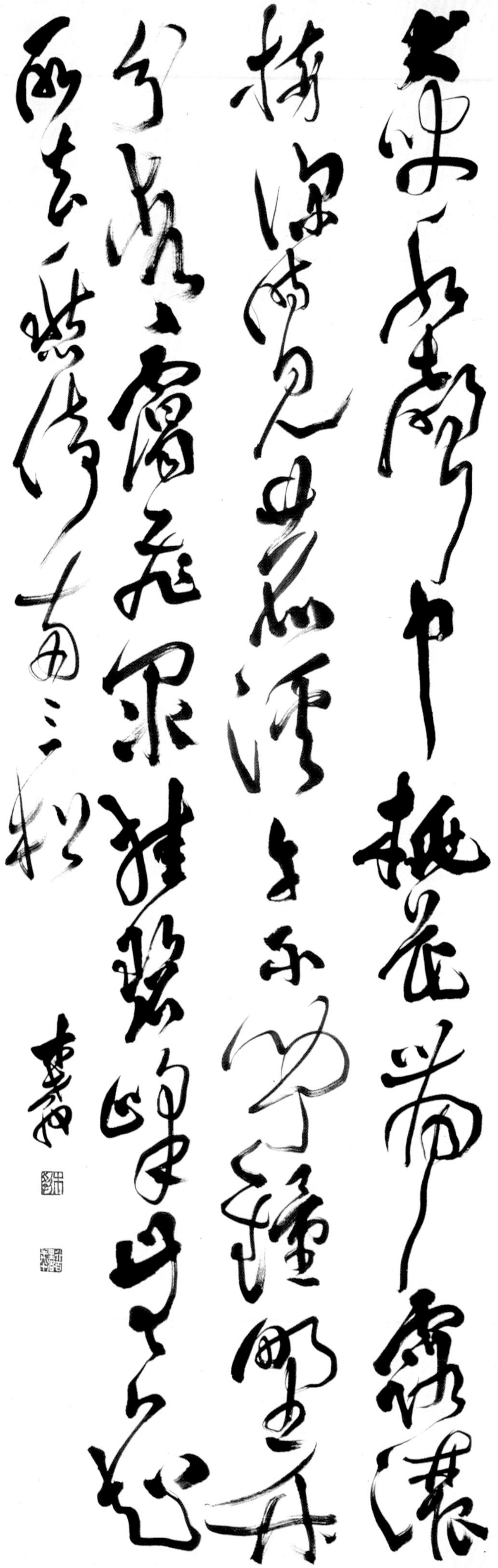

犬吠水声中，桃花带露浓。
树深时见鹿，溪午不闻钟。
野竹分青霭，飞泉挂碧峰。
无人知所去，愁倚两三松。

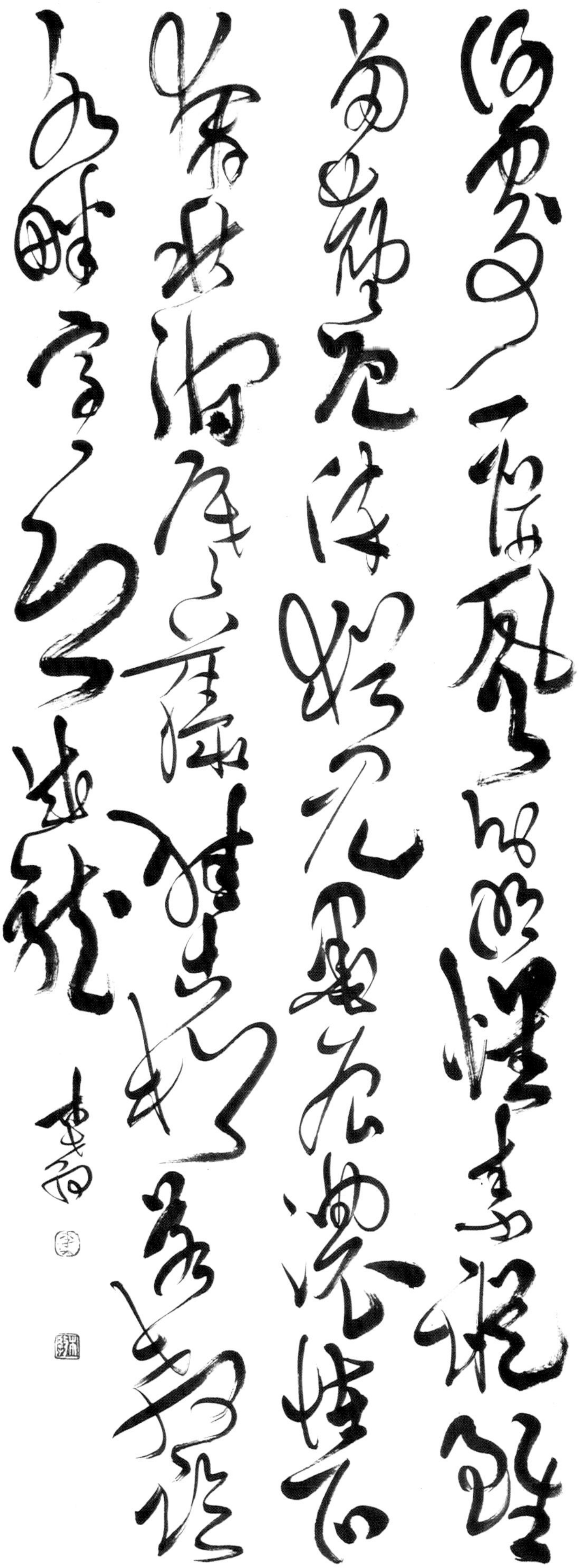

何处一屏风，分明怀素踪。
虽多尘色染，犹见墨痕浓。
怪石奔秋涧，寒藤挂石松。
若教临水畔，字字恐成龙。

不向东山久，蔷薇几度开。
白云还自散，明月落谁家。

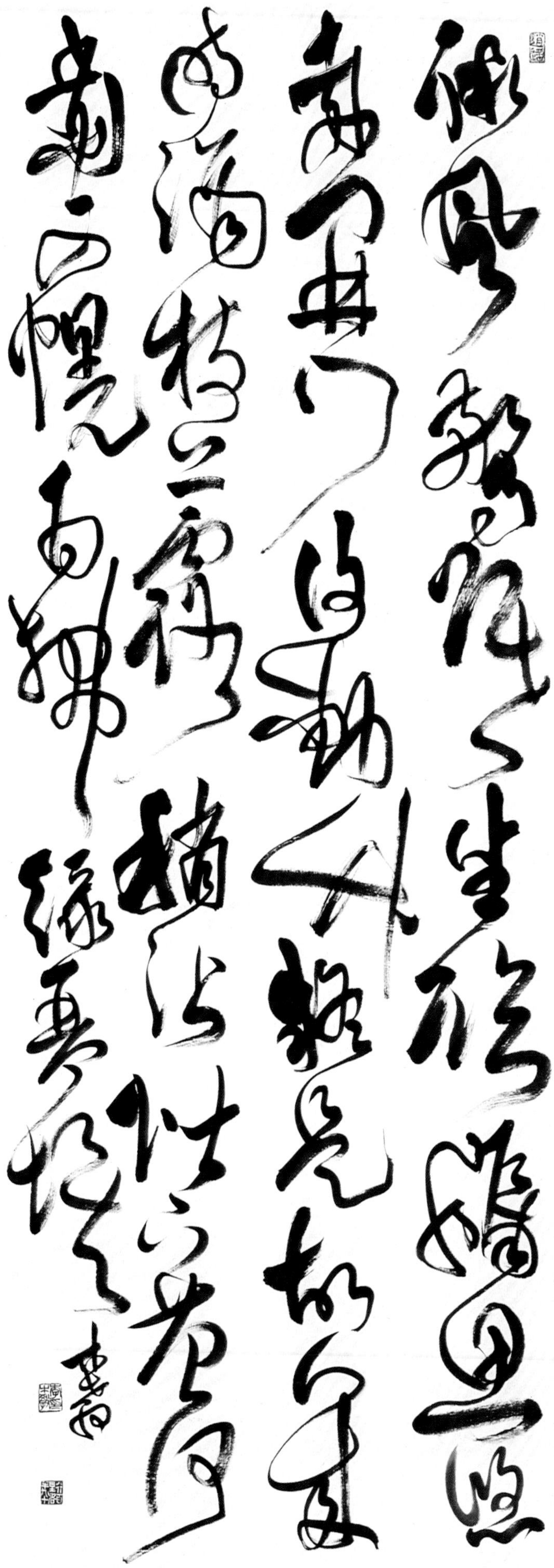

微风惊暮坐，临牖思悠哉。开门复动竹，疑是故人来。时滴枝上露，稍沾阶下苔。何当一入幌，为拂绿琴埃。

凿开鱼鸟忘情地
展尽江湖极目天

不飲胡爲醉兀兀，此心已逐歸鞍發。歸人猶自念庭幃，今我何以慰寂寞。登高回首坡壠隔，但見烏帽出復沒。苦寒念爾衣裘薄，獨騎瘦馬踏殘月。路人行歌居人樂，童僕怪我苦淒惻。亦知人生要有別，但恐歲月去飄忽。寒燈相對記疇昔，夜雨何時聽蕭瑟。君知此意不可忘，慎勿苦愛高官職。

辛丑十一月十九日既與子由別於鄭州西門之外馬上賦詩一首寄之

蘇東坡詩　丙戌　李正毅

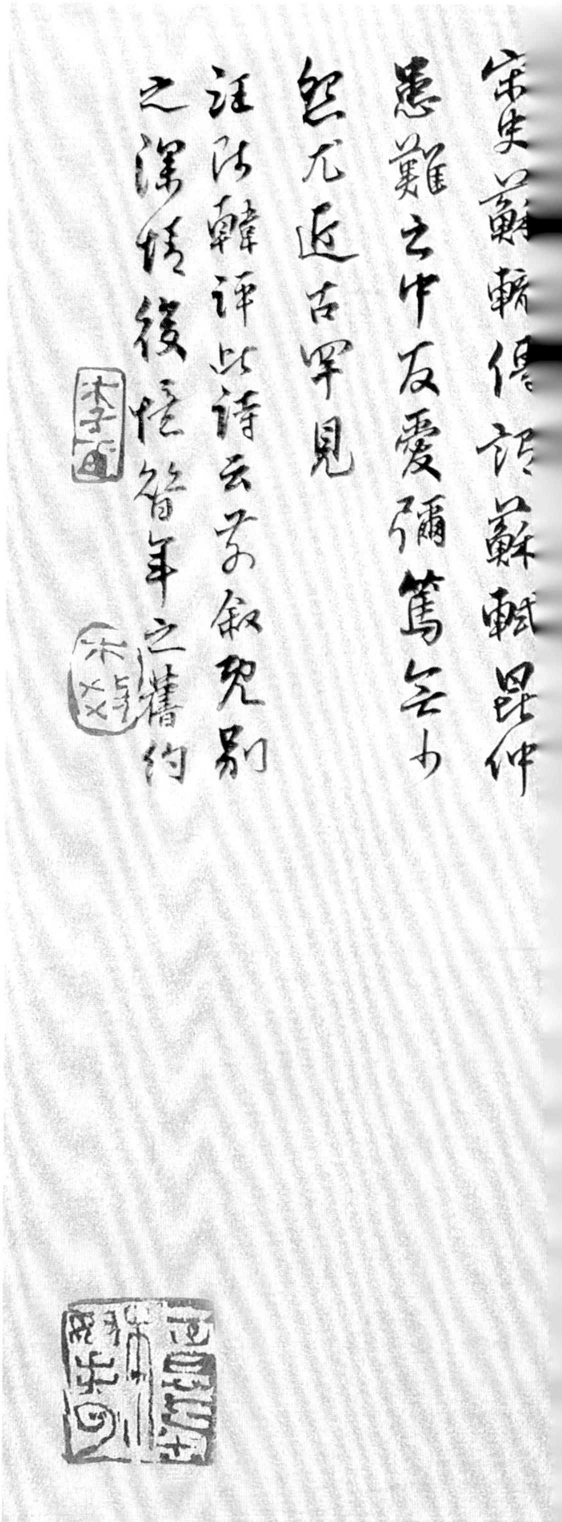

不饮胡为醉兀兀，此心已逐归鞍发。归人犹自食庭帏，今我何以慰寂寞。登高回首坡垅隔，但见乌帽出复没。苦寒念尔衣裳薄，独骑瘦马蹋残。月路人行歌居人乐，童仆怪我苦凄恻。亦知人生要有别。但恐岁月去飘忽。寒灯相对记畴昔，夜雨何时听萧瑟。君知此意不可忘，慎勿（受）苦爱高官职。

初秋玉露清，早雁出空鸣。
隔云时乱影，因风乍合声。
岸曲丝阴聚，波移带影疏。
还将眉里翠，来就镜中舒。

狂脱酒家春醉后
乱堆渔舍晚晴时

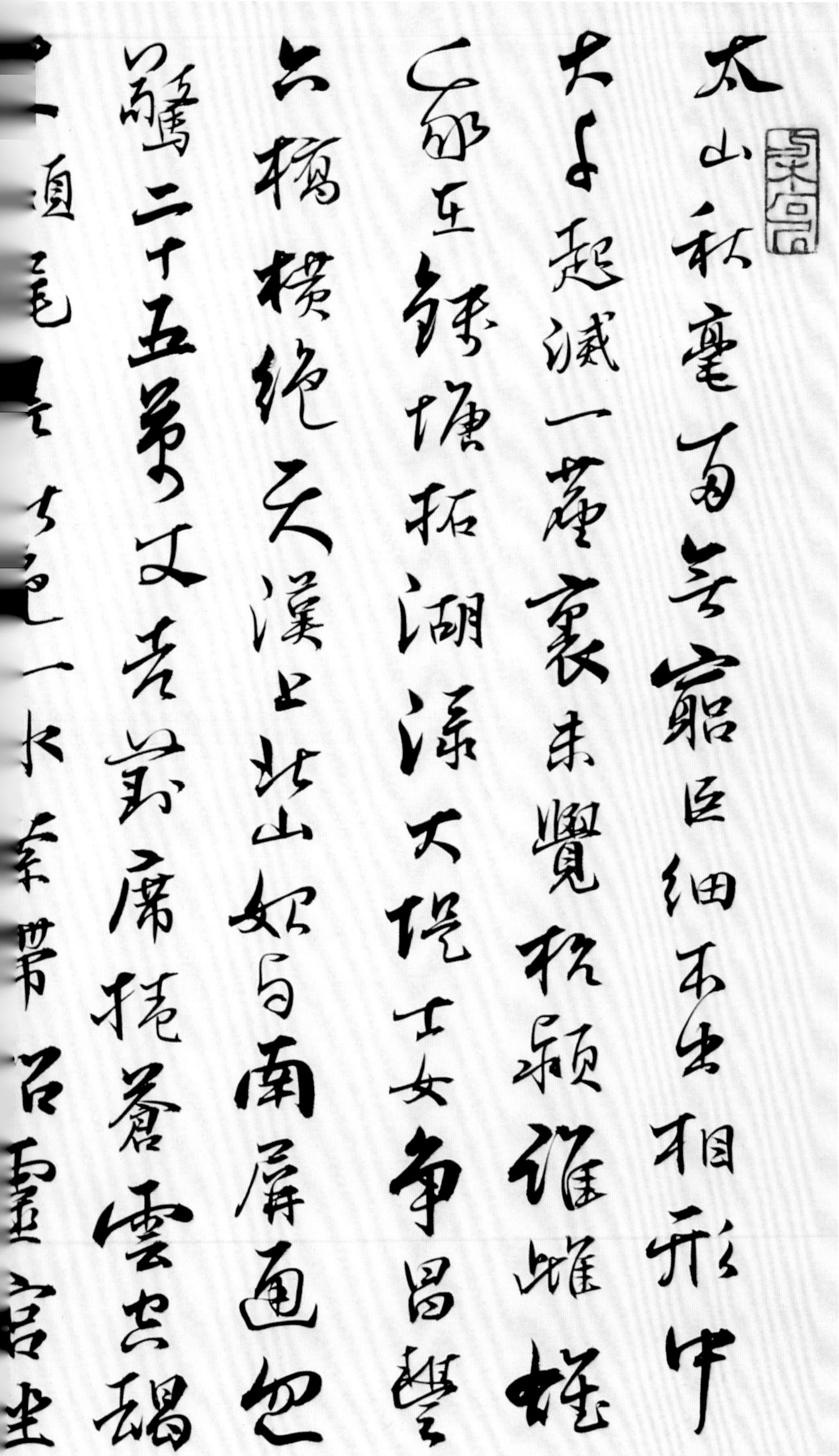

太山秋毫两无穷，巨细本出相形中。大千起灭一尘里，未觉杭颖谁雌雄。我在钱塘拓湖渌，大堤士女（争）急昌丰。六桥横绝天汉上，北山始与南屏通。忽惊二十五万丈，老葑席卷苍云空。朅来颍尾弄秋色，一水萦带昭灵宫。坐思吴越不可到，借君月斧修曈眬。二十四桥亦何有，换此十顷玻璃风。雷塘水干禾黍满，宝钗耕出余鸾凤。明年诗客来吊古，伴我霜夜号秋虫。

是處垂不[illegible]到僧尽了寺僧朣朧
二十四橋亦何有換此十頃玻璃風雷
塘水乾禾黍滿寶釵耕出餘鸞鳳
明年詩客來弔古伴我霜夜號
秋蟲

蘇東坡詩一首

李木教

醉别复几日，登临遍池台。
何时石门路，重有金樽开。
秋波落泗水，海色明徂徕。
飞蓬各自远，且尽手中杯。

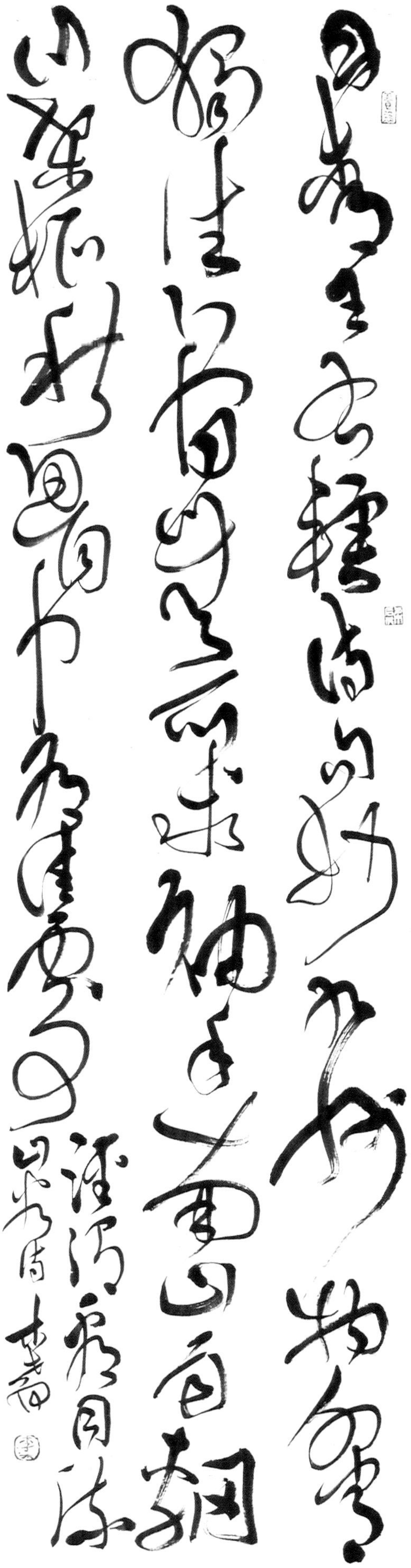

丹青王右辖，诗句妙九州。
物外常独往，人间无所求。
袖手南山雨，辋川桑柘秋。
胸中有佳处，泾渭看同流。

翠竹不沾花外雨
红鱼划破水中天

未曾夏至难齐熟，
最喜蝉声日日催。
笑口但含玉香满，
愁心尽与绛囊开。

二馬並驅攢八蹄二馬宛頸鬃尾齊
一馬任前雙舉後一馬卻避長鳴
嘶老髯奚官騎且顧前身作馬通
馬語後有八匹飲且行微流赴
吻若有聲前者既濟出林鶴
後者欲涉鶴俯啄最後一匹馬
中龍不嘶不動尾搖風韓生畫
馬真是馬蘇子作詩如見畫世
無伯樂亦無韓此詩此畫誰當看

二马并驱攒八蹄，二马宛颈鬃尾齐。一马任前双举后，一马却避长鸣嘶。老髯奚官骑且顾，前身作马通马语。后有八匹饮且行，微流赴吻若有声。前者既济出林鹤，后者欲涉鹤俯啄。最后一匹马中龙，不嘶不动尾摇风。韩生画马真是马，苏子作诗如见画。世无伯乐亦无韩，此诗此画谁当看。苏东坡韩幹马十四匹。韩幹，唐京兆蓝田人，相传年少为酒肆雇工，经王维资助学画，与其师曹霸皆以画马驰名，杜甫丹青引亦记之，今尚存照夜白图等。

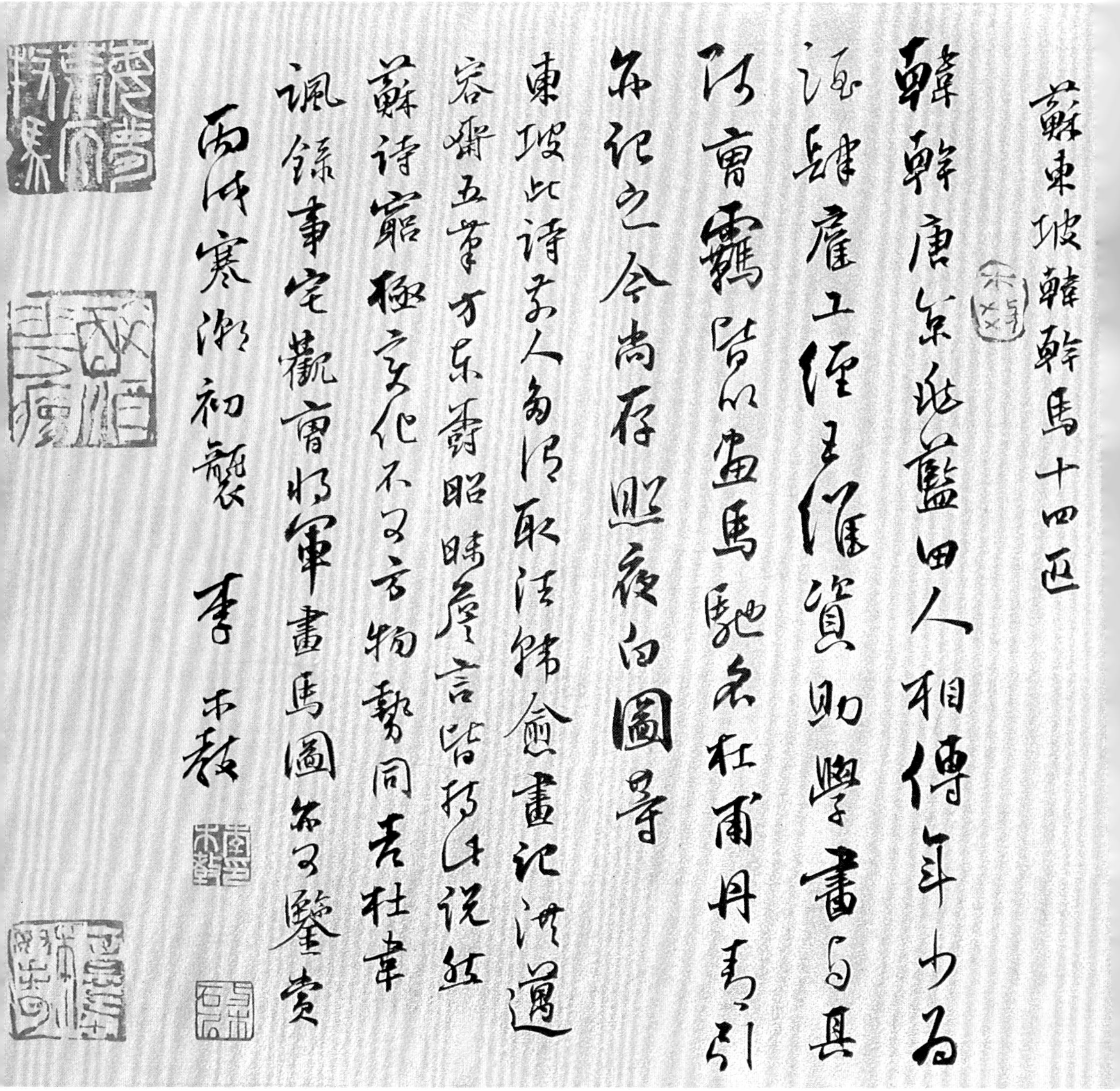

三上北高峰，杭州一望空。
飞凤亭边树，桃花岭上风。
热来寻扇子，冷去对佳人。
一片飘飖下，欢迎有晚鹰。

云淡风轻叩问溪山第一
洞天福地啸答清隐无双

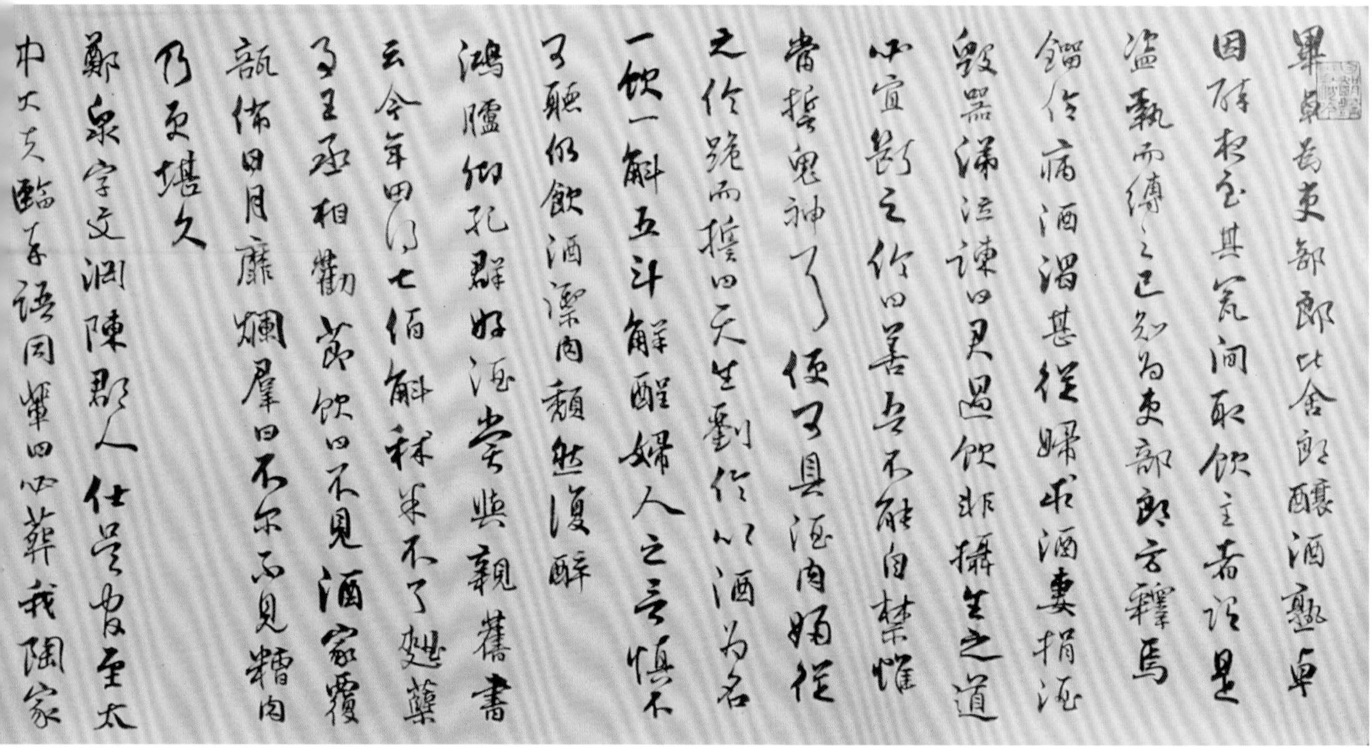
畢卓為吏部郎，比舍郎釀酒熟，卓
因醉夜至其甕間取飲，主者謂是
盜，執而縛之，已知為吏部郎，亟釋焉。
劉伶病酒渴甚，從婦求酒，妻捐酒
毀器，涕泣諫曰：君過飲，非攝生之道，
必宜斷之。伶曰：善，吾不能自禁，惟
當禱鬼神耳，便可具酒肉。婦從
之。伶跪而祝曰：天生劉伶，以酒為名，
一飲一斛，五斗解酲，婦人之言，慎不
可聽。仍飲酒御肉，頹然復醉。
鴻臚卿孔群好酒，嘗與親舊書
云：今年田得七佰斛秫米，不了麴糵
事。王丞相勸節飲，曰：不見酒家覆
瓿布，日月糜爛。群曰：不爾，不見糟肉
乃更堪久。
鄭泉字文淵，陳郡人，仕吳，官至太
中大夫。臨卒，語同輩曰：必葬我陶家

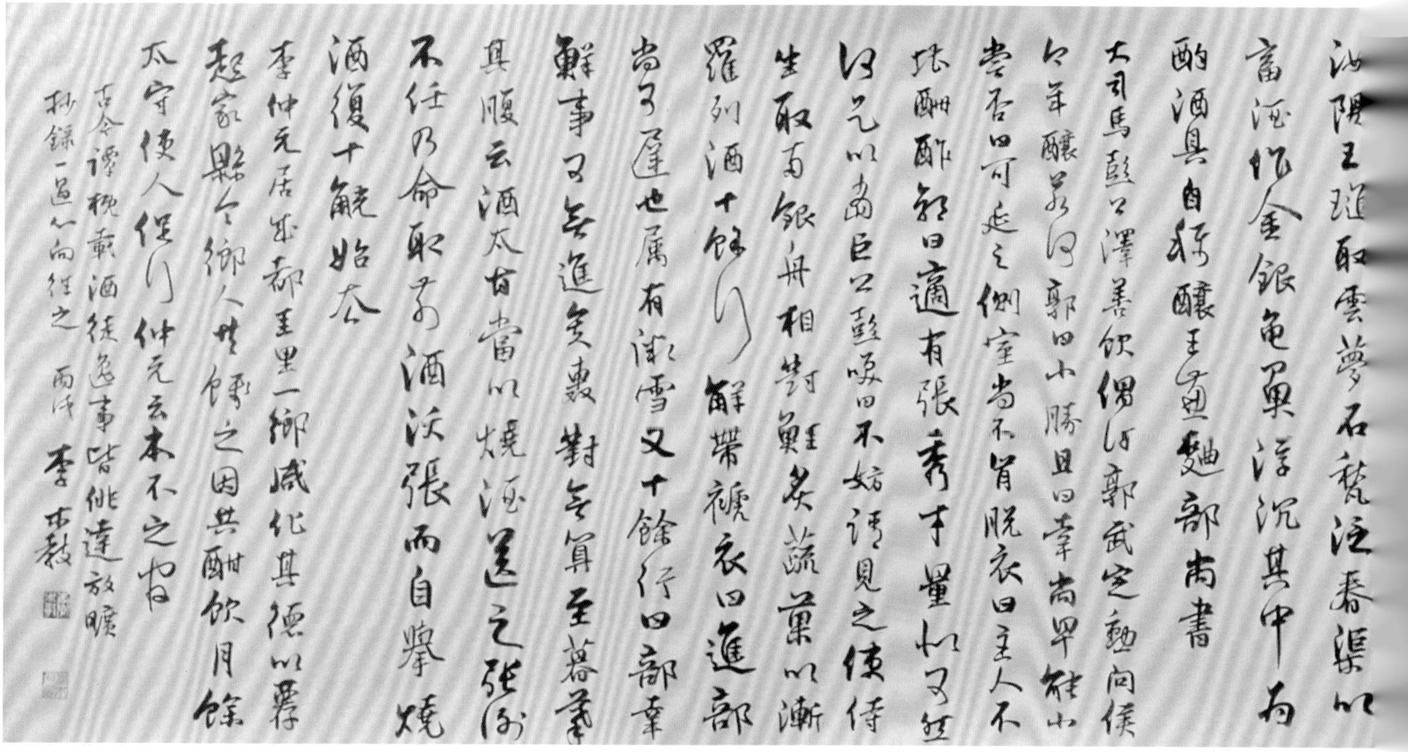

毕卓为吏部郎。比舍郎酿酒熟，卓因醉夜至其瓮间取饮。主者谓是盗，执而缚之，已知为吏部郎，方释焉。刘伶病酒，渴甚，从妇求酒。妻捐酒毁器，涕泣谏曰："君过饮，非摄生之道，必宜断之。"伶曰："善！吾不能自禁，惟当誓鬼神耳。便可具酒肉。"妇从之。伶跪而誓曰："天生刘伶，以酒为名，一饮一斛，五斗解酲。妇人之言，慎不可听！"仍饮酒禦肉，颓然复醉。鸿胪卿孔群好酒。尝与亲旧书云："今年田得七百斛秫米，不了曲糵事。"王丞相劝（使）节饮，曰："不见酒家覆瓿㡗，日月靡烂？"群曰："不尔，不见糟肉乃更堪久？"郑泉字文渊，陈郡人，仕吴官，至太中大夫临卒语同辈曰："必葬我陶家之侧，庶百年之后，化而为土，幸见取为酒壶，实获我心矣。"汝阳王琎取云梦石甃，泛春渠以畜酒作金银龟鱼浮沉其中，为酌酒具。自称"酿王"兼曲部。尚书大司马，彭公泽，善饮。偶访郭武定勳，问侯："今年酿若何？"郭曰："小胜"。且曰："幸尚早，能小尝否。"曰："可"延之侧室尚不肯脱衣，曰："主人不堪酬酢。"郭曰："适有张秀才，量似可，然何足以当巨公。"彭笑曰："不妨，请见之。"使侍坐，取两银舟相对，鲑炙蔬果，以渐罗列。酒十余行，解带褫衣曰："进部尚迟可也！"属有微雪，又十余行，曰："部幸鲜事，可无进矣。"轰对无算。至暮，摹其腹云："酒太甘，当以烧酒送之。"张谢不任乃命取前酒沃张，而举烧酒复十觥始去。李仲元居成都圭里，一乡咸化其德，以荐起家，县令、乡人共饯之。因共酣饮月余，太守使人促行，仲元云："本不之官。"

幽居得相近，烟景每寥寥。
共伐临溪树，因为过水桥。
自教青鹤舞，分采紫芝苗。
更爱南峰住，寻君路恐遥。

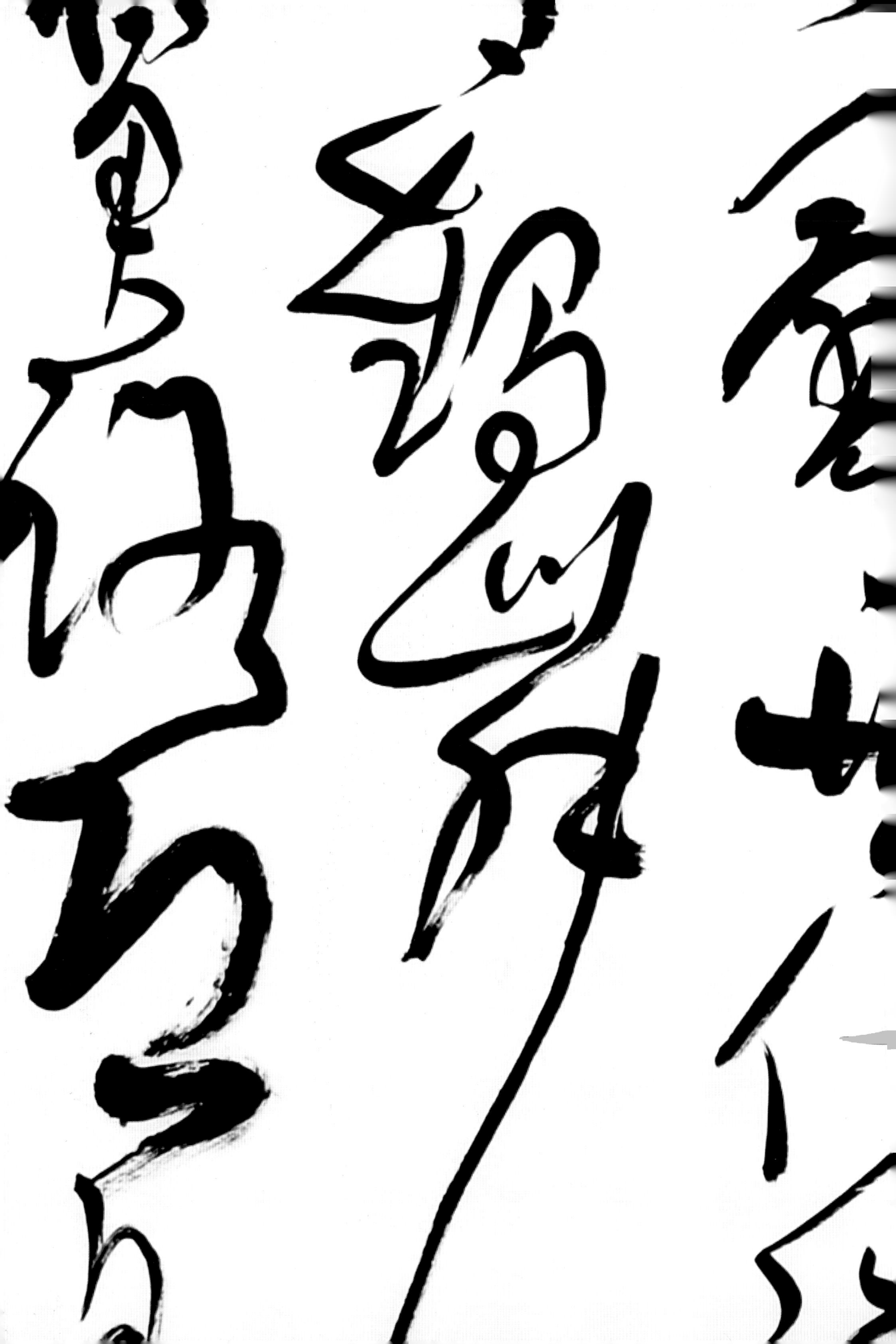

篮内河鱼换酒钱，芦花被里醉孤眠。
每逢风雨不归去，红蓼滩头泊钓船。

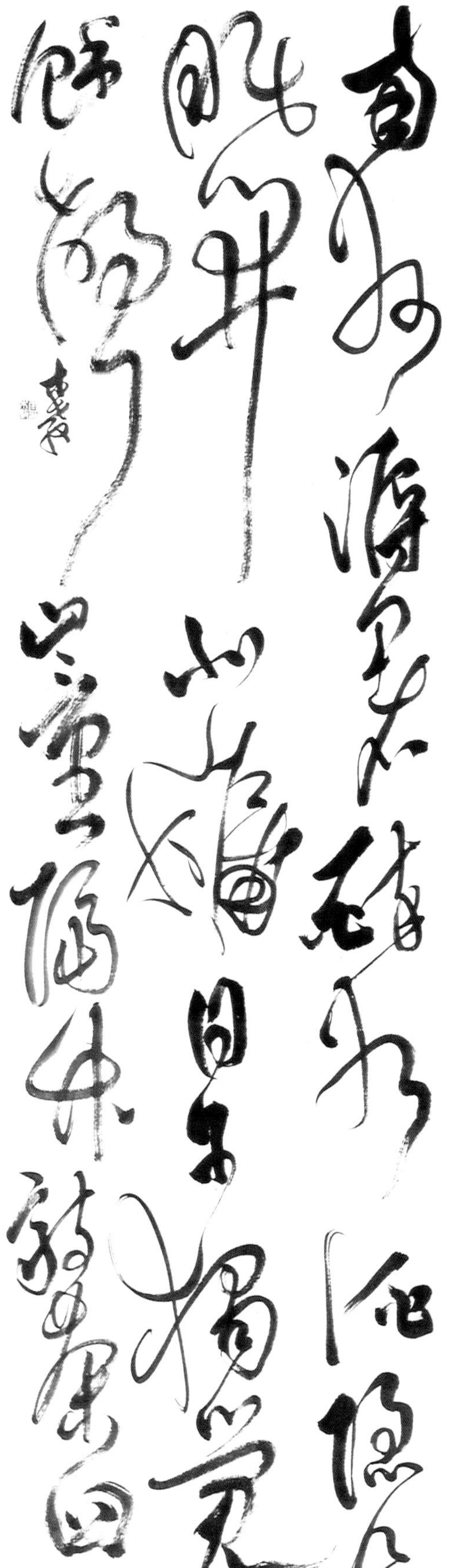

南州溽暑醉如酒，隐几熟眠开北牖。
日午独觉无馀声，山童隔竹敲茶臼。

在握玲珑金不换
抱怀绮丽玉难攀

作品局部

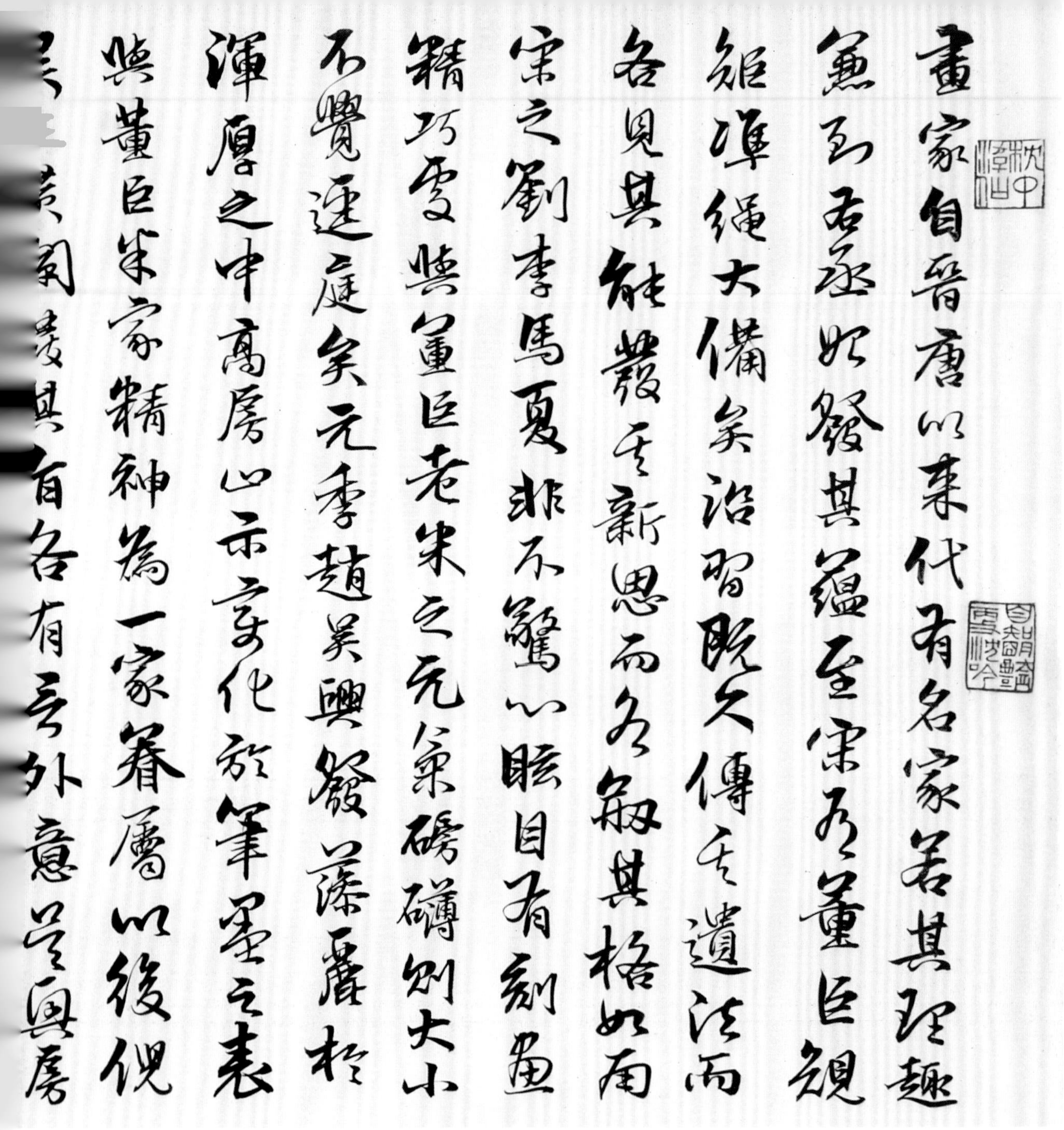

画家自唐以来，代有名家，若其理趣兼到，右丞始发其蕴。至宋有董、巨，规矩准绳大备矣。沿习既久，传其遗法，而各见其能，发其新思，而各韧其格。如南宋之刘、李、马、夏，非不惊心炫目，有刻画精巧处，与董、巨、老米之元气磅礴，则大小不觉迳庭矣。元季赵吴兴发藻丽于浑厚之中。高房山示变化于笔墨之表，与董、巨、米家精神为一家眷属。以后倪、吴、王、黄阐发其旨，各有言外意。吴兴、房山之学，方见祖述，不虚董、巨、二米之传，益信渊源有自矣。八叔父问南宗正派，敢以是对。并写四家大意，汇为一轴，以作证明。若可留诸清秘，公余拟再作两宋两元为正宗全观，冀略存古人面目，未识有合于古法鉴否。推蓬（系）宣和裱法，另横一纸于前，并题数语，此画始于壬辰夏五，月至癸己六月竣事。

淵源有自也八叔父同南宗正派故以是對
並寫四家大意彙為一軸以作證所若又
留諸清秘亦餘擬再作兩宋南元為正宗
全觀冀略存古人面目未識有合於古法
鑒否推篷宣和裱法另橫一紙錄子並
題數語此畫始於壬辰夏五月至癸巳六
月竣了

憶吾少年時嗜好丹青甚於書法無奈天
資遲鈍精力復不濟旁騖於今專心臨書且
難精進於繪畫僅可壁上觀耳

右錄龔墨畫家總論題畫寄八叔 李木敎

飞雪带春风，徘徊乱绕空。君看似花处，偏在洛城中。

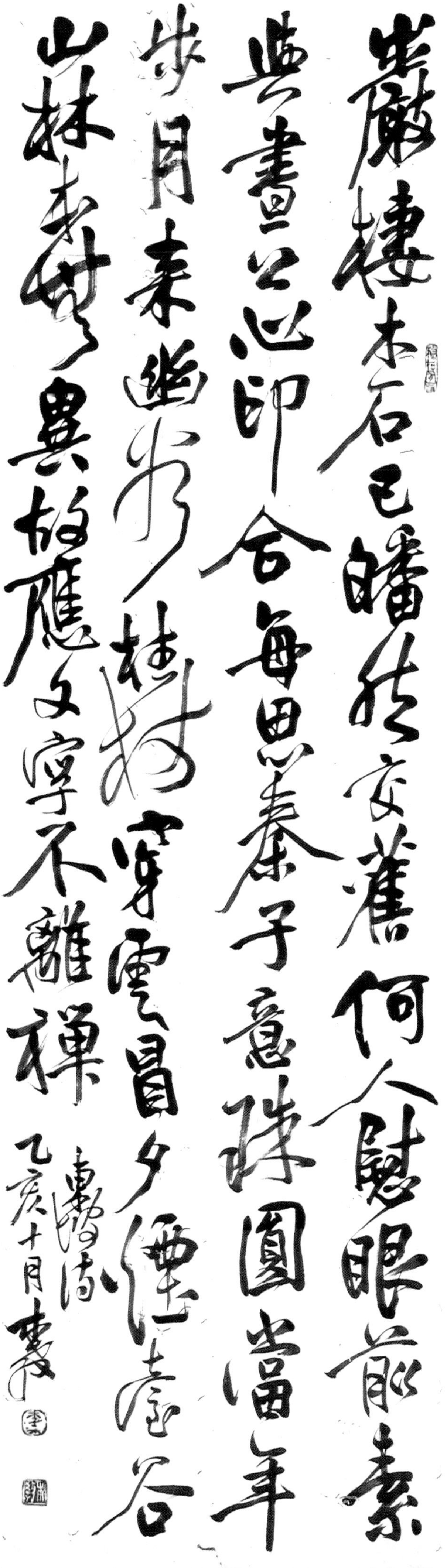

岩栖木石已皤然，交旧何人慰眼前。
素与公昼心印合，每思秦子意珠圆。
当年步月来幽谷，拄杖穿云冒夕烟。
台谷山林本无异，故应文字不离禅。

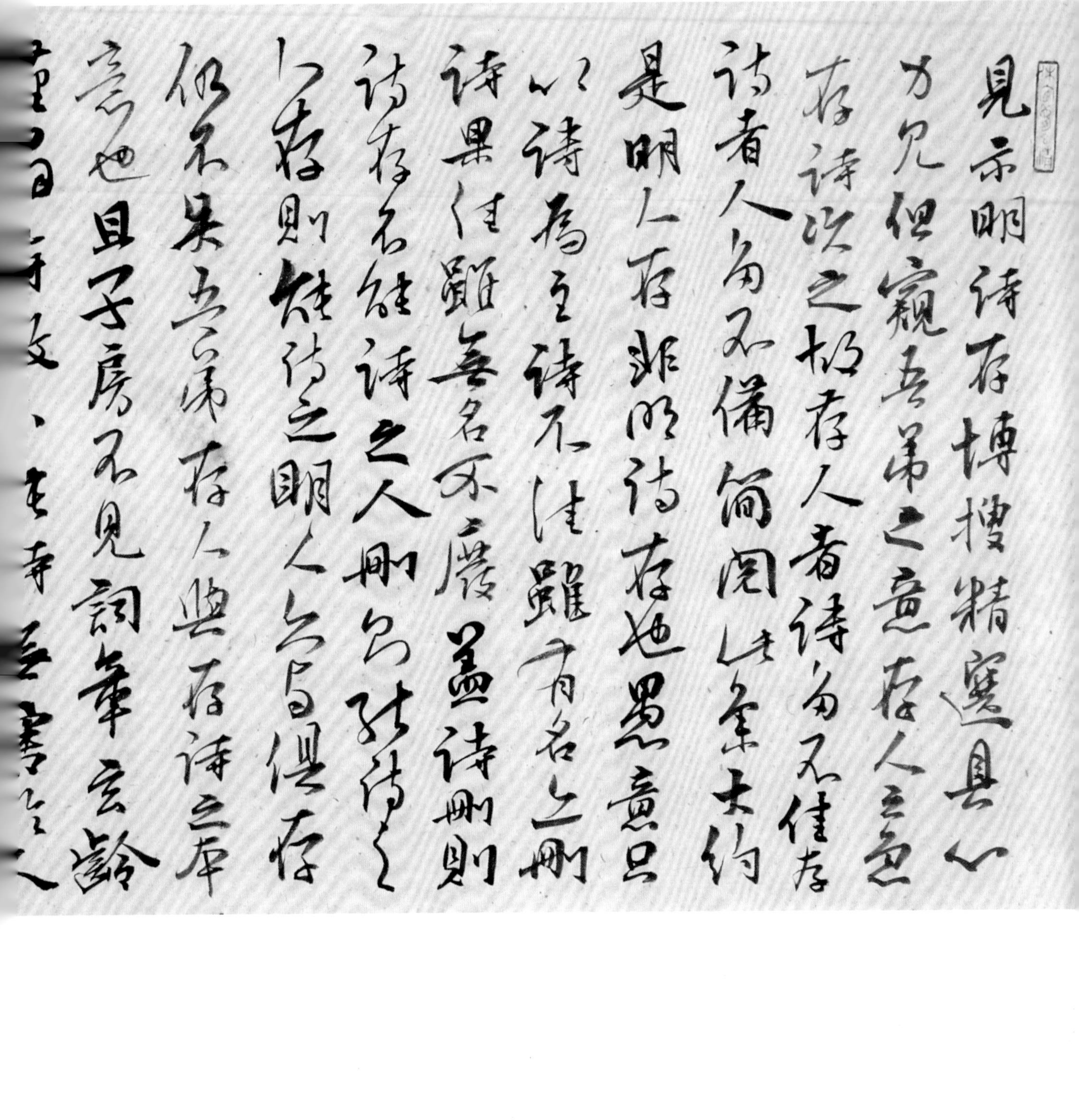

见示《明诗存》，博搜精选，具心力见，但窥吾弟之意，存人之急，存诗次之。故存人者，诗多不佳。存诗者，人多不备。简阅此集，大约是“明人存”，非“明诗存”也。愚意只以诗（品）为主，诗不佳。虽有名（者）亦删；诗果佳，虽无名（者）不废。盖诗删则诗存，不能诗之人删，则能诗之人存，则能诗之明人亦于俱存，仍不失吾弟存人与存诗之本意也。且子房不见词章，玄龄仅辨符檄，不能诗无害于人；不能诗而存其人深害于诗也。吾弟以余意为然否？与毅儒八弟，张岱字宗子，又字陶庵山阴诸生，长于史学，年七十有余，著书甚多，有《陶庵梦忆》、《西湖（寻梦）梦寻》、《琅（环）嬛文集》等十余种。

吾弟以余二弟力能召
與毅儒為弟
張岱
字宗子又字陶庵山陰諸生長於
史學年七十有餘著書甚夥有
陶庵夢憶西湖夢尋琅環
文集等十餘種
右錄張宗子題跋雜論選詩
以意選書之在理焉 李

十年无梦得还家，独立青峰野水涯。
天地寂寥山雨歇，几生修得到梅花。

作品局部

摩詰千古韻士獨郁輪袍一事全
無根據小說妄傳遂使輞川清流
不洗此垢信是文人受冤
茂陵遣使求遺草相如已無封禪
書自是千古高節然遂以此
薄文園則有所不可一代奇文遇
好文之主焉忍不盡對絕代佳人彈
琴著書風流不朽不遇漢武便不

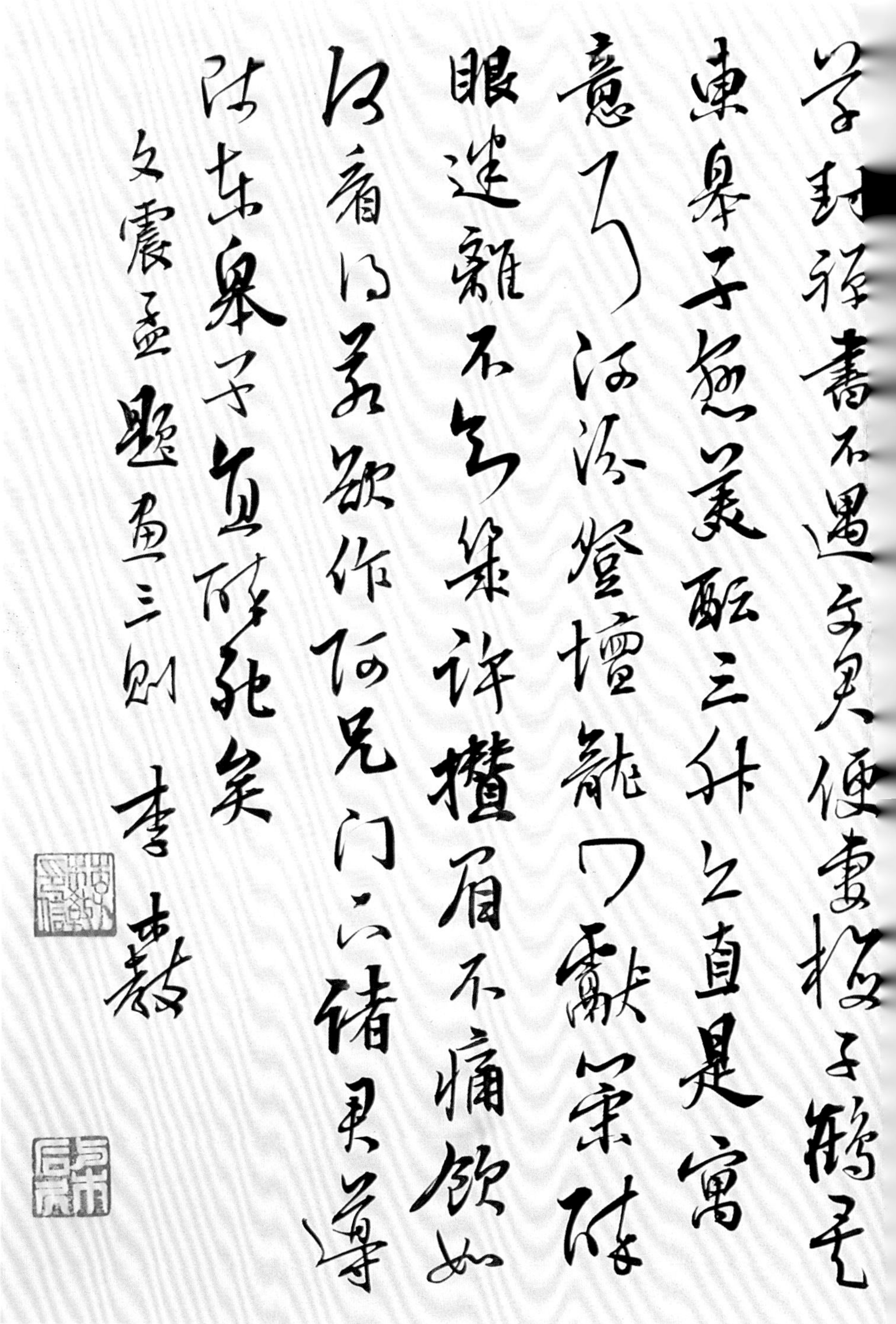

摩诘千古韵士，独《郁轮袍》一事，全无根据。小说妄传，遂使辋川，清流不洗此垢，信是文人奇冤。茂陵若使求遗草，犹喜曾无《封禅书》自是千古高节，然（亦）遂以此薄文园，则有所不可。一（代）生奇文，遇好文之主，乌忍不尽。对绝代佳人，弹琴著书，风流不朽。不遇汉武，便不草《封禅书》，不遇文君，便妻梅子鹤矣。东皋子恋美酝三升，亦 直是寓意耳。河汾登坛，龙门献策，醉眼迷离，不知几许攒眉。不痛饮如何看得？欲作阿兄门下诸君导师，东皋子直醉死矣。

庭户无人秋月明，夜霜欲落气先清。
梧桐真不甘衰谢，数叶迎风尚有声。

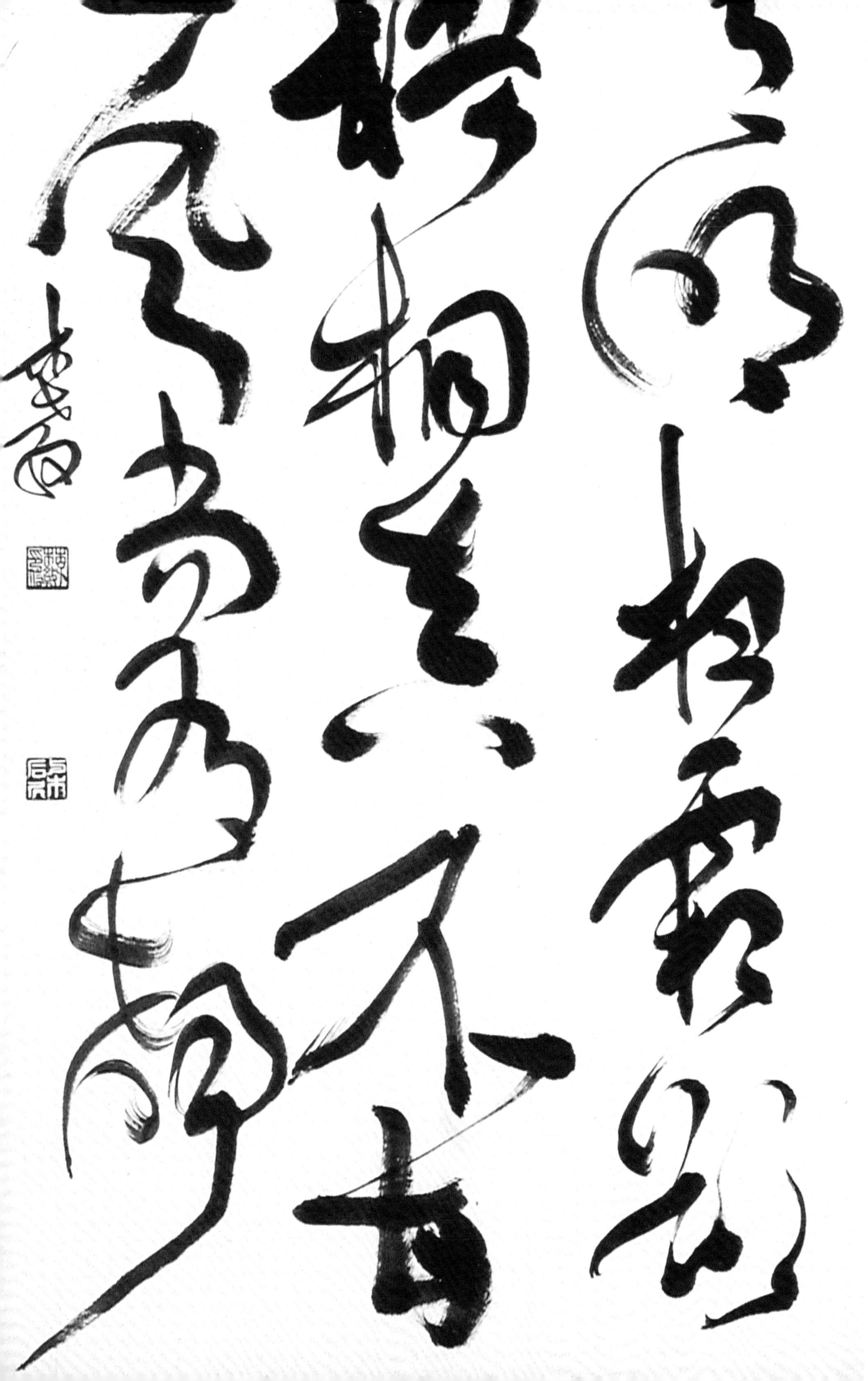

作品局部

泉落青山出白云，萦村绕郭几家分。
自从引作池中水，深浅方圆一任君。

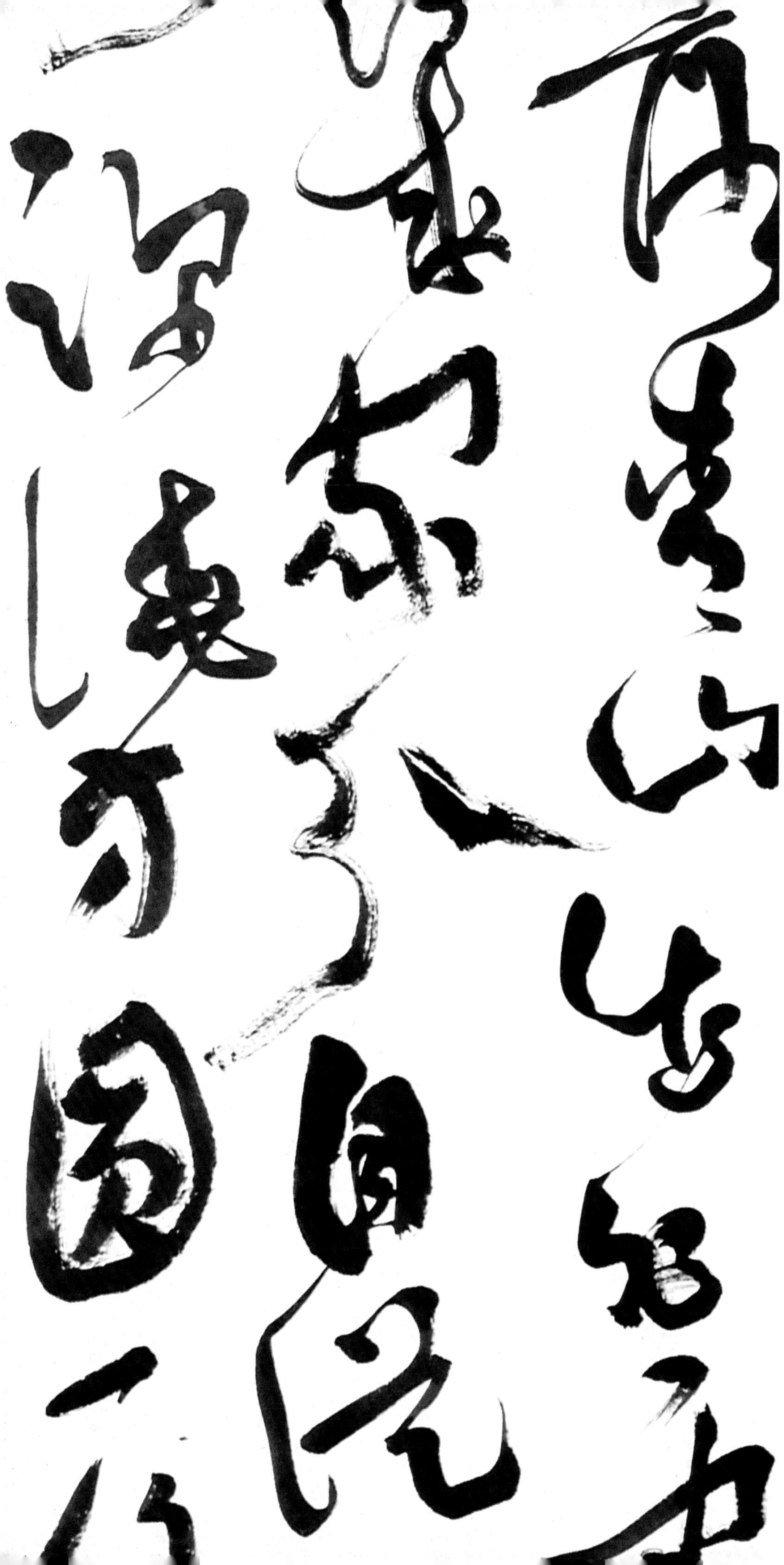

作品局部

我的书法生活

李木教

人到中年，经历逐渐多了，感觉越来越迟钝，少年时的轻狂莽撞一往直前也犹如隔世，很多令我多愁善感的事物现在似乎是淡漠了，只剩下写字这件事，常常悲欢交集又不堪离弃。

我的家乡福建诏安是著名的书画之乡，文风炽盛，里闾间交口称羡者不是显宦巨贾而多是书画名家。五岁时，家父以一块红砖一钵清水督书，算是我的启蒙。后来我师从沈吉文、余纲先生学习书画篆刻，渐得门径，一九八二年拜识潘主兰先生并由潘老介绍得识石开先生，因此也经常得到两位先生的教益。我从一个业余爱好者走上专业道路，得益于很多师长的提携，而以上四位先生对我的关爱宽容尤其使我没齿难忘。从一九八五年到一九九八年的十几年间，沈柔坚先生以一个大艺术家对家乡后辈的关怀呵护，在艺术工作生活各方面，给了我很多帮助，可谓恩重如山。此外我还有幸拜见过沙孟海、谢稚柳、钱君匋、赵冷月等前辈以及新时期书法热潮所成就的一批名家，这些经历使我不断坚定对艺术的信仰，也慢慢懂得一些做人的道理。

正确的学习道路是建立在对书法史和书法美学的深刻认知之上并且随着自身创作感受和追求不断深入而延续变化的。我曾经对秦篆汉隶、北朝墓志直至民间书风产生过浓厚兴趣，也做过走马观花式的学习，现当代的很多优秀书家如林散之、陆俨少、马晓世、王冬龄、何应辉等也是我心摹手追的榜样。另外我长期关注美术创作，各种美术思潮的刺激有时也影响我在书法创作中做各种各样的尝试，但我的学习方向基本保持在两条主线上，即小字以行书为主，围绕『二王』一脉展开直至苏米赵董，大字以草书为主，根基明清巨轴书风上溯黄庭坚，再研习旭素及《阁帖》中的草书贴。我最喜欢的生活就是平平常常写字，尤其是临池『入古』，不需要激越的情绪和刻意的表现，心灵得到一种平常的慰藉和滋养。

我生性驽钝而且偏狭固执，自知才力不逮，所以放弃了很多爱好，专心书法。很多年了，只要不旅行，我坚持天天写字，每天临帖不敢懈怠。没有了毛笔的实用环境，我们好像一个游泳家远离江河海洋，我们对毛笔的熟练程度和亲近情愫与古人不可同日而语，所以作为技术训练的量的积累至关重要，只有达到把书法的高超技巧化为本能，我们才能像讲话一样自然流畅地表达自己的意愿，真正做到在情、理、意、法之间心手双畅。

我是一个很俗的人，所以不敢对自己的作品在精神气质上有所期待，平常也未对创作风格有明晰的追求，但尽管此时这样写，彼时那样写，长期书写也会留下一些比较固定的习惯和习气并且失去鲜活的感觉，这也是我的苦恼所在，仿佛心中有个写字的样式，总表达不出来，我有时想我们这一代书家其实很痛苦，既没有前辈书家那种毫无挂碍的自信和大气，也很难达到七零后书家对传统经典的深刻认识和准确把握，我很惭愧自己的作品总是不到位，像个业余爱好者的状态。

古贤有很多人像王觉斯那样，在很多方面都失意无望终究为后人留下好书数行，我很敬仰但自己渺小不敢比附，但我实在爱写字，不写字我甚至都不知道自己能做什么，我有福气写字并且以薄技糊口，实在要说声感恩书法。